Dirección editorial M.ª Jesús Díaz

Adaptación Consuelo Delgado
Revisión Isabel López
Asesoramiento pedagógico María Luisa García Herrero
Ilustraciones Francesc Ràfols
Diseño de colección José Delicado
Realización y edición delicado diseño

© SUSAETA EDICIONES, S.A.
C/ Campezo, 13 - 28022 Madrid
Tel.: 91 3009100 - Fax: 91 3009118
www.susaeta.com
Impreso y encuadernado en España

D.L.: M-37337-MMXII

Viaje al centro de la Tierra

Julio Verne

Adaptación de Consuelo Delgado
Ilustraciones de Francesc Ràfols

PERSONAJES

Otto Lidenbrock

Profesor de mineralogía y experto también en geología, que ama la ciencia y los descubrimientos. Tiene un carácter difícil, pero un gran corazón.

Axel

Sobrino y ayudante del profesor Lidenbrock. No es tan intrépido como él, pero es incapaz de dejarlo solo. Su verdadero deseo es casarse con su novia.

Graüben

Novia de Axel y ahijada del señor Lidenbrock, en cuya casa vive. Es una deliciosa jovencita que también comparte su afición por los minerales.

Fridriksson

Profesor islandés de ciencias naturales que vive en Reikiavik y aloja al profesor Lidenbrock y su sobrino. También les proporciona el guía para ir al volcán.

Hans

Islandés que sirve de guía al profesor y su sobrino en su viaje al volcán. Es un hombre tranquilo que no se inquieta por nada y sabe ser fiel a la vez que valiente.

Arne Saknussemm

Célebre alquimista islandés del siglo XVI que consiguió la proeza de llegar al centro de la Tierra. Las huellas que dejó de aquel viaje sirven de pista para el profesor y su sobrino.

Índice

Capítulo 1

El libro misterioso

El domingo 24 de mayo de 1863, mi tío, el profesor Lidenbrock, volvió deprisa a su casa de Königstrasse, en el barrio viejo de Hamburgo. Nada más entrar se metió en su despacho voceando:

—¡Axel, sígueme!

No había tenido tiempo de moverme cuando me gritó con impaciencia:

—¿Pero aún no estás aquí?

Y eché a correr hacia su despacho.

Otto Lidenbrock no era mal hombre, pero sí extravagante y testarudo. Daba clases de mineralogía, aunque no le preocupaba si sus alumnos aprendían. Era un sabio egoísta, un pozo de conocimiento para sí mismo. No tenía facilidad de palabra y se encolerizaba cuando fallaba al hablar en público. Todos se burlaban por ello, pero reconocían que era un auténtico experto en geología y mineralogía, y los científicos le consultaban.

Alto, delgado y de pelo rubio, tenía una salud de hierro a sus cincuenta años. Sus ojos eran grandes, con gafas, y la nariz, larga. Su mal genio e impaciencia resultaban insoportables, pero en el fondo me quería. Yo, huérfano, era su sobrino y ayudante. En su casa vivían también su joven ahijada Graüben y la criada Marthe.

Obedecí enseguida y entré en su despacho, un verdadero museo lleno de

muestras minerales etiquetadas. Mi tío se hallaba en su sillón con un libro.

—¡Mira qué tesoro! Es la crónica de los príncipes noruegos de Islandia, escrita en el siglo XII por el famoso Snorre Turleson. ¡Es el manuscrito original en islandés!

—¿Se leen bien los caracteres? —dije indiferente, pues me esperaba otra cosa.

—¡Ignorante! Es un manuscrito rúnico; las runas son las letras que se usaban antiguamente en Islandia.

Cayó entonces al suelo un mugriento pergamino salido del libro.

—¿Qué es esto? —dijo asombrado—. Son letras rúnicas como las otras.

Entró en ese momento la criada:

—La sopa está servida.

—¡Al diablo la sopa! —exclamó él.

Yo me fui a comer, pero en los postres oí un grito de mi tío y acudí veloz.

—Siéntate y escribe —me dijo—. Voy a dictarte las letras nuestras que corresponden a esas runas; a ver si sacamos algo. ¡Y no te equivoques!

De aquello salió un conglomerado de palabras incomprensibles. Mi tío dijo:

—Las letras han sido desordenadas a propósito y no las ha escrito la misma mano que hizo el manuscrito, pues hay una letra que se añadió al alfabeto islandés dos siglos después. Debió de

escribirlas alguien que fue dueño del
libro. ¿Habrá puesto su nombre en él?

El profesor miró con lupa las primeras
páginas del libro y descifró un borrón.

—¡Arne Saknussemm! —dijo—. Fue un
célebre alquimista islandés del siglo XVI.
Seguro que ha ocultado algún
descubrimiento en esas letras. No comeré
ni dormiré hasta averiguarlo, ¡ni tú, Axel!
Hay que saber en qué lengua están escritas.
Debe de ser latín, pues era lo que usaban
los sabios de ese siglo, pero está liado: hay
palabras con sólo consonantes y otras con
sólo vocales… ¿Cuál será la clave?

No contesté, porque estaba embobado mirando un retrato de Graüben. La ahijada de mi tío se hallaba con unos parientes y su ausencia me entristecía, pues nos queríamos y estábamos prometidos en secreto. Yo la adoraba: era una chica rubia de ojos azules que me ayudaba a ordenar los minerales y estudiaba conmigo. Pensaba en nuestros paseos cuando un puñetazo en la mesa me devolvió a la realidad.

—Vamos a probar a escribir algo verticalmente —dijo mi tío—. Pon una frase cualquiera en varias columnas verticales y luego escribe en horizontal los grupos de letras que salen en cada línea.

El resultado fue: *tedb ev,e aeGn mrr oda daü*. Mi tío cogió el papel y dijo:

—Esto ya se parece al pergamino. Ahora voy a leerlo cogiendo la primera letra de cada grupo, luego la segunda, etc.

Y salió esta frase: «Te amo de verdad, Graüben». Mi tío carraspeó y me dijo:

—¿Conque quieres a Graüben? Bueno, apliquemos ahora el método a nuestro pergamino… ¡Esto no tiene ningún sentido! —gritó y salió furioso de casa.

Yo me puse a ordenar minerales, pero no dejaba de pensar en ese texto. Intenté hacer otras combinaciones. Creía ver palabras

en otros idiomas, pero ya me bailaban todas las letras. Me abaniqué con el papel para despejarme y entonces, cuando la hoja volvía hacia mí, vi algunas palabras comprensibles. ¡Claro! Esa era la clave: ¡había que leer el texto al revés!

Leí la frase y… me aterroricé al saber que un hombre había llegado a entrar… ¡No, mi tío no se enteraría! Si no, querría hacerlo también y me llevaría con él.

Estaba tan excitado que pensé echarlo al fuego de la chimenea, pero en ese momento apareció mi tío. Sin decir nada, se puso a escribir fórmulas en una hoja. Llegó la hora de cenar y no hizo caso del aviso de Marthe. Yo caí dormido en el sofá y a la mañana siguiente lo encontré con

sus cálculos y los ojos enrojecidos. Me
dio lástima, pero no dije nada. No quería
reprocharme haberle llevado a la muerte.

Cuando Marthe quiso ir al mercado, vio
la puerta cerrada. Eso significaba que, hasta
que no diera con la solución, nadie en la
casa comería ni saldría. A eso de las dos me
moría de hambre y pensé que mi tío acabaría
dando con la clave, así que decidí decírselo.

—Hay que leerlo al revés desde el final.
Emocionado, mi tío lo leyó y tradujo:

*Baja al cráter del Yocul de Sneffels, que la sombra
del Scartaris acaricia antes de las calendas de julio,
audaz viajero, y llegarás al centro de la Tierra. Yo lo
hice. Arne Saknussemm.*

Capítulo 2

La expedición a Islandia

Tras la comida, mi tío me llevó a su despacho y me dijo:

—Axel, gracias por tu gran ayuda. Nunca lo olvidaré y compartirás conmigo la gloria de llegar al centro de la Tierra. Sólo te ruego que guardes el secreto.

—Pero ¿qué son esos Yokul, Sneffels y Scartaris? Nunca los he oído —dije.

—Mira este atlas. Verás que en Islandia todos los volcanes los llaman Yokul, que significa «glaciar», y es que en ese país helado la mayoría de los volcanes también lo están.

El Sneffels es un volcán apagado de 1.500 m de altura que se halla al oeste, al norte de la capital, Reikiavik. Y como está formado por varios cráteres, antes de las calendas de julio, es decir, a finales de junio, el Scartaris, que es uno de los picos de la montaña, señala con su sombra el cráter por el que entró Saknussemm.

—Bien, pero es imposible que hiciera ese viaje y volviera, porque según las teorías científicas la temperatura aumenta un grado cada 20 m de profundidad. Si el radio terrestre mide 7.500 km, en el centro de la Tierra habrá más de 200.000 °C; todo será gas.

—Nadie sabe con seguridad lo que
sucede allí y la ciencia está llena de
teorías que desmienten otras antiguas.

Tuve que ceder y, aturdido, salí a la
calle. Siguiendo el río, divisé a Graüben,
que regresaba. Me vio inquieto y me
preguntó qué me sucedía. Cuando se lo
conté, guardó silencio y luego dijo:

—Será un gran viaje. De buena gana
iría con vosotros si no fuera un estorbo.

No pudo ser mayor mi sorpresa.

Cuando llegamos a casa, encontré a mi
tío chillando en medio de unos mozos
que cargaban bultos.

—¿Qué hacías de paseo? ¡Tu maleta está sin hacer y yo debo ordenar cosas! Salimos pasado mañana de madrugada.

Esa noche fue horrible; no podía dormir. Al día siguiente, Graüben me dijo:

—El profesor me ha contado el plan. Lo conseguirá, sin duda. ¡Qué gloria os espera! Cuando vuelvas, serás todo un hombre, libre para hablar, hacer…

Se sonrojó y no siguió. Ese día fue todo preparativos para el viaje. A las cinco y media de la mañana siguiente nos recogió un carruaje. Graüben se despidió:

—Querido Axel, dejas a tu novia, pero a la vuelta tendrás a tu esposa.

Fuimos en tren a Kiel; de allí en barco a Dinamarca y de nuevo en tren a su capital, Copenhague. Conseguimos que el velero *Valkiria* nos llevase a Reikiavik. El capitán nos aseguró que la travesía duraría unos diez días.

Cuando salimos a mar abierto, el profesor se mareó y tuvo que encerrarse en su camarote. Al llegar al puerto de Reikiavik, mi tío salió a cubierta y con entusiasmo señaló una montaña de dos picos, cubierta de nieves eternas.

—¡El Sneffels! —exclamó.

Ya en Reikiavik, conocimos al señor Fridriksson, profesor de ciencias naturales, quien nos ofreció su casa.

   Mi tío aceptó y se fue a la biblioteca
en busca de algún manuscrito de
Saknussemm. Yo preferí conocer la
capital. Pronto recorrí sus dos calles,
una de tiendas y otra de casas, con los
edificios de madera y barro. No vi árboles
ni vegetación. Las gentes, de aspecto
pensativo y triste, secaban el bacalao.

   Durante la cena en casa del señor
Fridriksson, mi tío comentó que la
biblioteca estaba vacía de libros.

   —¡Al contrario! —dijo Fridriksson—.
Poseemos 8.000 libros. Lo que sucede es
que los islandeses son amantes de la lectura
y el estudio, y casi todos los libros están
prestados. ¿Buscaba alguno en especial?

—Sí, las obras de Arne Saknussemm.

—¿El gran sabio del siglo XVI? Desgraciadamente, no las tenemos. Lo acusaron de hereje y fueron quemadas en Copenhague en 1573.

La conversación discurría en islandés, pues mi tío sabía varios idiomas, pero alternaban en alemán o en latín para que yo pudiera comprenderlos. Hablando de minerales, Fridriksson dijo que había muchos volcanes en Islandia sin estudiar y mencionó el Sneffels.

—Pues empezaré por ese —dijo mi tío, ocultando su verdadero interés.

—Le proporcionaré un guía. Es cazador, inteligente y habla danés.

Capítulo 3

Comienza la aventura

Por la mañana, me desperté oyendo a mi tío hablar en danés. Fui donde estaba él y lo vi con un hombre alto y fuerte, de ojos azules y larga melena pelirroja. Parecía tranquilo, como si no se inquietara por nada. Era Hans, el guía.

Se acordó que iríamos con cuatro caballos, dos para mi tío y yo, otros dos para el equipaje y él iría a pie. Se fijó la partida para el 16 de junio y Hans nos acompañaría hasta el final de la expedición científica.

En los preparativos, organizamos
los bultos en cuatro grupos: aparatos
de medición, armas con explosivos,
herramientas y comida. No llevábamos
agua, sino ginebra, pero sí cantimploras
para llenarlas en los manantiales.

El 16 partimos de madrugada, tras
agradecer a Fridriksson su hospitalidad.

Hans iba delante, con paso rápido.
A mí me hacía gracia ver a mi tío sobre
su pequeño caballo, pues casi rozaba el
suelo con los pies. Seguimos la orilla del
mar. No había caminos; cruzamos pastos
amarillentos y apenas vimos alguna casa,
y eso que era la parte más poblada del

país al no haber erupciones. ¡Con esos hielos era difícil vivir allí!

Eran las siete de la tarde cuando atravesamos un fiordo en barca, pero no oscureció, pues durante junio y julio el sol no se pone en Islandia. Sin embargo, notamos frío y hambre.

Unos campesinos nos hospedaron en su humilde casa. Era un matrimonio con diecinueve niños y todos nos reunimos en la cocina, el único lugar donde se estaba caliente. La cena fue exótica para nosotros: sopa de liquen y pescado seco, pero comimos con mucho apetito.

Al día siguiente proseguimos el viaje por un terreno pantanoso. Tras atravesar varios fiordos, llegamos a una zona de lava y Hans nos alojó con su familia.

Un día después llegamos a Stapi, pueblo construido al pie del Sneffels. Paramos en la casa del párroco, pero este no fue tan hospitalario: nos dio la peor habitación y nos hizo pagar un dineral.

Hans contrató a tres hombres para subir los bultos al cráter. Después ellos volverían y sólo Hans seguiría.

El ascenso fue difícil y peligroso. Íbamos en fila india y debíamos tener cuidado con las piedras sueltas. A menudo, mi tío me ayudaba a subir con su brazo. Los islandeses, en cambio, eran ágiles montañeros. Cuando llegamos a la nieve, subimos por unos peldaños que formaba la roca. El viento soplaba con fuerza y yo estaba agotado.

Quise descansar, pero un torbellino de arena volcánica se acercaba a nosotros

y tuvimos que acelerar la marcha. Avanzamos en zigzag y, por fin, a las once de la noche alcanzamos la cima. Pudimos ver el sol de medianoche proyectando sus pálidos rayos.

Nos resguardamos en el interior del cráter para cenar y dormir. Al día siguiente, nos despertamos medio congelados por el viento. La vista era magnífica: desde la cima del pico sur del Sneffels se divisaba casi toda Islandia, con sus valles, ríos, lagos y glaciares, y más allá, el océano.

Mi tío preguntó al guía el nombre de ese pico y Hans dijo: Scartaris. El cráter tendría una profundidad de 600 m y un ancho de 2,5 km, que se estrechaba abajo.

A mediodía, llegamos al fondo. En él había tres chimeneas, por donde el Sneffels expulsó lava y vapores en su época de erupciones. Cada uno de esos agujeros medía unos 30 m de ancho. Yo no me atreví a mirar para abajo, al contrario que mi tío. De pronto gritó. Creí que se había caído por una chimenea, pero no, estaba radiante y me llamó para enseñarme una inscripción rúnica en una roca: ¡era el nombre de Arne Saknussemm!

Quedé estupefacto. Me senté y no sé
cuánto tiempo pasó. Cuando levanté
la vista, los tres porteadores se habían
marchado, Hans dormía y mi tío se
movía sin parar. Me eché a dormir.

Al día siguiente, el cielo estaba
nublado, y sin sol no había sombra que
señalase la entrada. Un día después cayó
aguanieve. Mi tío estaba desquiciado
de los nervios, pues era 26 de junio y, si
acababa el mes sin salir el sol, habría que
posponer la expedición para otro año.

Por fin, el domingo 28 asomó el sol
por la boca del cráter y el Scartaris dio
sombra a la chimenea central. ¡Adelante!

Capítulo 4

Descenso al abismo

Comenzaba el verdadero viaje. Aún podía negarme a participar en esa loca aventura, pero sentí vergüenza ante Hans, que estaba tan tranquilo.

Por suerte, las paredes de ese pozo oscuro presentaban muchos salientes que nos facilitarían el descenso. Mi tío ideó una manera de bajar con una cuerda de 120 m. Echó la mitad de la cuerda al pozo, enrolló el centro a un bloque de lava, sin anudar, y luego tiró la otra mitad. Nosotros bajábamos sujetando los dos trozos de cuerda. Cuando llegábamos al final de la cuerda, a unos 60 m, soltábamos un extremo y tirábamos del otro. Así nos hacíamos con toda la cuerda y empezábamos otra vez.

Repartimos el equipaje en tres bultos, uno para cada uno, que llevábamos a la espalda. Hicimos otro bulto con las cosas que no se rompían y lo tiramos al fondo de la chimenea. Empezamos a bajar, primero Hans y, tras él, mi tío y yo. El profundo silencio sólo lo rompía el ruido de rocas que se desprendían.

Al cabo de tres horas aún no se veía el fondo, pero el pozo se estrechaba y llegaba menos luz de arriba. Tardamos diez horas y media en llegar abajo. De ahí arrancaba una galería a la derecha. De momento, cenamos y nos acostamos.

A las ocho de la mañana, un rayo de luz nos despertó. Mi tío estaba feliz.

—¿Qué me dices, Axel? Jamás hemos dormido con tanto silencio, ¡qué gusto!

—Pero esta calma da miedo —dije.

—Pues aún no hemos entrado en las entrañas de la Tierra. Estamos justo a nivel del mar, mira el barómetro. A partir de ahora la presión del aire aumentará; pero, como bajaremos poco a poco, nuestros pulmones se acostumbrarán.

Miré por última vez aquel cielo de Islandia y nos adentramos en la galería. La luz de nuestras linternas hacía brillar la lava del suelo y las paredes, procedente de la última erupción de 1229.

Bajábamos por una pendiente de 45°
y vimos estalactitas y burbujas de cuarzo
con tonos rojos y amarillos.

—¡Qué espectáculo, tío! ¡Es magnífico!
—exclamé emocionado.

—¡Vaya, por fin te parece espléndido!

Hacia las ocho de la noche, mi tío dio
orden de parar en una caverna. Aunque
todo el tiempo habíamos descendido, y
según los cálculos del profesor habíamos
llegado a 3.000 m bajo el nivel del mar, la
temperatura sólo había aumentado nueve
grados, de 6 °C iniciales a 15 °C. La teoría
científica fallaba: no nos abrasábamos.

A la mañana siguiente continuamos el descenso hasta que la galería se dividió en dos túneles. Mi tío no quiso mostrar sus dudas ante nosotros y eligió el de la derecha sin titubear. Esta galería tenía menos pendiente y al segundo día de caminata, en vez de bajar, subíamos. Se lo dije, pero él se empeñó en continuar. No quería reconocer que se había equivocado.

A mediodía, las paredes ya no eran de lava sino de roca caliza y arenisca.

—Mire, tío —le dije—. Esto significa
que hemos llegado al período en que
aparecieron los primeros seres vivos.

No me contestó y siguió avanzando.
Era evidente que nos alejábamos de las
lavas y aquel túnel no conducía al centro
del Sneffels. Busqué algún resto de planta
primitiva para tener una prueba, y pronto
el suelo y las paredes arenosas mostraron
huellas de conchas y plantas.

—Está bien. Quizá me equivoqué, pero
no estaré seguro hasta llegar al final.

—El problema es que nos queda poca agua y no hay manantiales.

—La racionaremos.

Dos días después, vimos que el túnel era de carbón. Toda la historia del período Carbonífero estaba escrita en aquellas paredes. En esa época anterior a la era secundaria, la Tierra se cubrió de vegetación debido al calor y la humedad. La corteza terrestre se rompía y los hundimientos sepultaron muchas plantas en el fondo de los mares. Un proceso químico hizo que los vegetales se convirtieran en turba y luego se mineralizaran hasta formar esas capas de carbón; inmensas capas que, si los pueblos industriales siguen consumiendo sin medida, se agotarán en menos de tres siglos.

Estaba yo en estas reflexiones cuando llegamos al final del túnel: un muro de roca nos impedía continuar.

—Ahora sé que este no era el camino de Saknussemm. Paremos esta noche a descansar y en tres días regresaremos al lugar donde se dividía la galería en dos.

—Si tenemos fuerzas —contesté yo—. Mañana se nos acaba el agua.

—¿Y también el valor? —me replicó.

Capítulo 5

La odisea del agua

El regreso fue penoso porque al final del primer día se acabó el agua y tuvimos que beber ginebra. Ese licor nos quemaba la garganta, y la fatiga hacía mella en todos nosotros.

El 7 de julio llegamos a duras penas al cruce de galerías. Yo perdí el conocimiento. Mi tío me levantó un poco y con gran ternura me dijo:

—¡Pobre! Toma, bebe —y me acercó una cantimplora a los labios.

¡Eran las últimas gotas y me las dio!

—¡Tío, gracias! —exclamé.

Cuando me recuperé, dije a mi tío que había que volver a la cima del cráter. Sin agua era imposible seguir.

—No, Axel, vete tú; que Hans te acompañe. Yo seguiré hasta el final.

Yo no quería abandonarle, pero tampoco morir allí. El guía comprendía lo que pasaba pero no decía nada.

—Escucha —continuó el profesor—. Mientras estabas desmayado, me adentré en la otra galería y vi que baja directamente a las entrañas de la Tierra. En unas horas nos llevará al macizo de granito y allí habrá manantiales. Mira, cuando Colón pidió tres días a sus hombres para dar con las nuevas tierras, ellos aceptaron aunque estaban enfermos y asustados, y él descubrió América. Yo sólo te pido un día. Si no encontramos agua, volvemos.

Sus palabras me conmovieron y acepté. Empezamos a bajar.

Los minerales que veíamos en suelo y paredes nos indicaban que estábamos pisando terrenos primitivos de cuando la Tierra se enfrió: esquisto, gneis, mica, cuarzo… Esos minerales, que brillaban con mil destellos a la luz de nuestras linternas, se apoyaban en la roca más dura de todas, el granito.

El día terminaba y, aunque todo era granito, no aparecía el agua. Yo ya no pude más y caí desfallecido.

Mi tío retrocedió y dijo con tristeza:

—¡Todo ha terminado!

Cerré los ojos y cuando los volví a abrir vi que Hans y mi tío dormían. En medio de mi sopor oí un ruido y me pareció ver que el islandés se iba con la linterna. Sentí pánico si nos abandonaba. Luego pensé que habría ido a buscar agua. Pasó una hora y Hans regresó. Despertó a mi tío y dijo:

—*Vatten*.

Mi instinto me hizo entender ¡agua!

Nos pusimos en camino y una hora después oímos el rumor de un torrente, cada vez más fuerte, pero la roca no estaba húmeda. Hans pegó su oreja a la pared y halló el punto donde sonaba más. Cogió el pico y golpeó hasta que salió disparado un chorro de agua. Hans gritó de dolor: ¡el agua salía hirviendo!

La dejamos enfriar y pronto pudimos beber hasta la saciedad.

—¡Esto sí que es agua mineral!

Llenamos las cantimploras y yo propuse tapar el agujero para que no se perdiera el agua, pero fue imposible.

—Dejemos que corra —dijo mi tío—. Así bajará y seguiremos teniendo agua.

Capítulo 6

Hallazgos asombrosos

Según la brújula, el pasadizo de granito conducía al sureste. Tenía poca inclinación, pero dos días después la pendiente se hizo casi vertical y tuvimos que emplear las cuerdas para bajar. En aquel pozo, el arroyo abierto por Hans se convertía en cascada.

Tras cinco días, el pozo giró hacia el sureste y su inclinación era menor. Al cabo de una semana, habíamos bajado a 35.000 m y estábamos a 250 km al sureste del volcán Sneffels, es decir, debajo del océano. Cuatro días después llegamos a una amplia gruta a 80.000 m.

—Pero ese es el límite de espesor de la corteza terrestre y debería haber 1.500 °C de temperatura —dije yo.

—Ya ves que no. El granito no está fundido por el calor y sólo hay 27 °C.

—Tío, déjeme sacar conclusiones. Hemos bajado 80 km en veinte días. Si el radio terrestre mide 7.500 km, tardaremos casi dos mil días, o sea, cinco años y medio. Además, como no bajamos en vertical sino en diagonal, terminaremos saliendo por otra parte.

—¡Al diablo con tus cálculos! —dijo furioso—. Si otro lo hizo, ¡yo también!

En el siglo XVI no había aparatos para medir, así que ¿cómo podía decir Saknussemm que había llegado al centro de la Tierra? Sin embargo, no dije nada.

Continuamos la marcha, a veces con descensos muy verticales y peligrosos, que logramos hacer gracias a Hans.

Dos semanas después, el 7 de agosto, nos hallábamos a 150 km de profundidad y a unos 1.000 km al sureste de Islandia. Ese día yo iba delante. Examinaba las capas de granito cuando, de repente, me di cuenta de que estaba solo. Pensé que habría ido deprisa o que ellos se habían parado, así que retrocedí unos pasos, pero no los encontré. Los llamé, y nada.

Me acordé de que siguiendo el arroyo no tenía pérdida, y ¡horror! ¡El suelo estaba seco! Eso significaba que me había metido por otra galería. ¿Y cómo volver sobre mis pasos si el granito no deja huella? ¡Estaba perdido!

Tenía comida para tres días y agua. Sólo me quedaba subir hasta encontrar la bifurcación donde había confundido el camino. Así lo hice, pero esta galería no tenía salida. Choqué con un muro y caí torpemente. Mi linterna se estropeó y me quedé en la más absoluta oscuridad.

Desesperado, corrí gritando, palpando con las manos, arañándomelas con las rocas. Finalmente, caí desmayado.

Me desperté lleno de sangre. De pronto, oí un ruido como de trueno, y luego, apoyado en la pared, creí oír unas voces. Pegué la oreja en distintos sitios del muro y escuché palabras. ¡Eran ellos!

El sonido no podía atravesar el granito, así que ¡llegaba por la galería! y la pared servía para conducir mi voz.

Pegado a la pared grité: «¡Tío!». Pasaron unos segundos y escuché: «¡Axel! ¿Eres tú? ¡Cuánto he sufrido por ti!». Me dijo que me habían buscado y avisado con los fusiles. Ellos estaban en una gruta donde desembocaban varias galerías, de modo que si bajaba llegaría allí. «No te desesperes; camina y deslízate en las pendientes fuertes», me dijo.

Eso hice. En la parte final me dejé resbalar, pero cogí velocidad, rodé y mi cabeza chocó contra una roca. Cuando volví en mí, mi tío me cogió la mano y gritó: «¡Vive!». Luego me abrazó e incluso Hans se alegró. Me obligaron a dormir.

Al día siguiente, vi que estaba en una gruta de estalagmitas con el suelo de arena fina. Entraba algo de luz y oía un rumor de olas. Creí estar soñando.

—Veo que ya estás bien, Axel. Hans te puso un ungüento en las heridas.

Tras devorar el desayuno, pregunté a qué se debía esa luz y el sonido.

—Ya lo verás. Hoy debes descansar, pues mañana embarcaremos.

Quise saber más y mi tío me dejó salir de la gruta cubierto con una manta.

Era tanta la luz que cerré los ojos. Al abrirlos, me quedé asombrado: ¡el mar!

—El mar Lidenbrock. Tengo derecho a ponerle mi nombre —afirmó mi tío.

No se veía el límite de aquella masa de agua. Las olas rompían sobre la arena y a los lados había enormes rocas.

La luz no procedía del sol, sino que se debía a un fenómeno eléctrico. Arriba sólo se veían grandes nubes muy altas, y el efecto era una luz triste, sin calor. La brisa, húmeda y fresca, me resultaba deliciosa después de 47 días de encierro.

Paseamos por la playa. Por algunas rocas gigantes caían cascadas y de otras salían vapores de fuentes termales.

Al rodear un promontorio vimos un frondoso bosque. Nos acercamos y ¡cuál no sería nuestra sorpresa al observar que eran hongos y setas de 10 o 12 m, helechos altísimos y arbustos gigantescos!

—¡Magnífico! —exclamó mi tío—. Aquí tienes la vegetación de la era secundaria, y mira estos huesos…

—¡Son de animales antediluvianos! Esa es la mandíbula de un mastodonte y esos los dientes del dinoterio, y mira este fémur de megaterio. Pero ¿cómo vivieron en este mar subterráneo? La vida animal sólo existió cuando el terreno de sedimentos sustituyó a las rocas ardientes.

—Piensa que al principio la Tierra era una corteza elástica en continuo movimiento. Es probable que una parte de ese suelo sedimentario se hundiera.

—¿Y quién nos dice que alguno de esos monstruos no siga viviendo aquí?

Me di un buen baño en aquel mar y mi tío me llevó a donde Hans construía una balsa de madera, que no estaba del todo fosilizada y por eso podía flotar.

Estábamos a unos 1.750 km al sureste de Islandia y a 175 km de profundidad, justo bajo las montañas de Escocia.

Capítulo 7

Navegamos bajo tierra

Eran las seis del 13 de agosto cuando embarcamos en una sólida balsa que tenía por vela nuestras mantas. Mi tío quiso poner un nombre al puerto del que salimos y yo propuse Graüben.

El viento nos empujó con rapidez y pronto perdimos de vista la tierra. Hans dirigía hábilmente el timón entre las algas gigantes. Probó a pescar con un anzuelo y sacó un pez. Parecía un esturión, pero no tenía ojos ni dientes. Según el profesor, era una especie extinguida.

Al segundo día, mi tío se impacientó pues no divisábamos tierra.

La noche del quinto día me desperté con una fuerte sacudida en la balsa. Hans señaló un bicho negruzco.

—¡Una marsopa gigante! —grité—. ¡Y allí hay un lagarto inmenso!

—¡Y un gran cocodrilo! —dijo mi tío.

Podíamos ver aquellos monstruos marinos porque la luz era la misma de día o de noche. Se sumergían y volvían a aparecer, girando en torno a la balsa. Cogí un arma pero Hans me detuvo. El cocodrilo y la serpiente pasaron a 100 m de nosotros, luchando entre sí. Vimos de nuevo los otros animales y Hans aseguró que sólo eran dos. Mi tío lo confirmó.

—Uno es un ictiosaurio, con su hocico de marsopa, cabeza de lagarto y dientes de cocodrilo. Y el otro es un plesiosaurio: una serpiente con caparazón de tortuga.

Estos seres antediluvianos eran terribles enemigos y pelearon dos horas hasta que se hundieron. Al poco salió el plesiosaurio retorciéndose en el agua por las heridas y murió minutos después.

Otro día oímos un ruido lejano, como de una catarata, pero no divisamos nada. Al fin vimos un inmenso chorro de agua. Yo temí que fuera otro monstruo marino, pero mi tío no quiso desviarse. Nos acercamos y Hans dijo que era el géiser de una isla. El agua salía a 163 °C.

—Eso prueba que sale de un centro ardiente —le dije, pero mi tío calló.

Bautizó la isla con mi nombre, Axel, y embarcamos de nuevo. Estábamos a 3.100 km de Islandia, bajo Inglaterra.

Al día siguiente el aire estaba pesado y amenazaba tormenta. Propuse quitar la vela, pero mi tío exclamó furioso:

—¡No! ¡Que nos arrastre el viento, a ver si así nos lleva a alguna orilla!

Comenzó a llover y un vendaval infló la vela y nos arrastró velozmente.

Tuvimos que atarnos a la balsa para
no caer con esas olas gigantescas, y lo
peor fue la tormenta eléctrica de rayos,
relámpagos y truenos ensordecedores.

De repente, una bola de fuego
blanquecina vino hacia nosotros. Partió
el mástil y luego rozó nuestras cosas. Se
acercó a mi pie y quise apartarlo, pero no
pude: estaba clavado a la balsa. La bola
eléctrica había imantado el hierro de a
bordo, y todo quedaba pegado. Por fin, la
bola estalló echando chispas.

La tormenta continuó y terminamos
estrellándonos con las rocas de la costa.
Hans me salvó la vida y me llevó a la
playa, donde estaba ya mi tío, y luego
recuperó lo que pudo del naufragio.

Al día siguiente, el profesor calculó dónde podíamos estar, contando los cuatro días de tempestad en la misma dirección sureste, y afirmó que el mar Mediterráneo se hallaba sobre nosotros. Sin embargo, cuando consultó la brújula, la aguja marcaba el norte. Eso nos hizo pensar que durante la tempestad había cambiado la dirección del viento.

El enfado de mi tío no pudo ser mayor: ¡habíamos retrocedido! Pero su voluntad de seguir le hizo explorar la costa. La playa estaba llena de conchas, fósiles y caparazones de gliptodontes.

El mar debió de cubrir esa zona en otro tiempo. Más adelante vimos un campo lleno de esqueletos: leptoterios, megaterios, mastodontes, pterodáctilos... ¡y un cráneo humano! Lo descubrió mi tío, asombrado: ¡eso confirmaba que hubo seres humanos en el Cuaternario! Este tenía larguísimas uñas y buena melena. Había más cadáveres y hachas de sílex.

Hallamos luego un bosque del Terciario: palmeras, pinos, musgos, helechos... pero descoloridos por la falta de sol. ¡Y vimos una manada de mastodontes vivos! Su pastor era ¡un hombre de 3,5 m y enorme cabeza! ¿Fue un sueño? Huimos corriendo.

En la playa encontramos un puñal oxidado. Mi tío pensó que sería de Arne Saknussemm. Buscamos alguna marca y allí cerca, en una roca donde se abría un túnel, vimos sus dos iniciales. Entonces ya no dudé de aquel viaje. Mi tío llamó a ese saliente rocoso cabo Saknussemm y nos adentramos en el túnel con Hans.

A los pocos pasos, un bloque de piedra nos impidió seguir. Deduje que se habría caído después de pasar Saknussemm y propuse volarlo con pólvora.

El 27 de agosto encendí la mecha y corrí hasta la balsa, donde estaban ellos. Nos alejamos de la orilla a esperar. Las rocas se abrieron y el mar se convirtió en una ola enorme que nos elevó. La explosión había producido un terremoto y el mar nos arrastraba a ese gran agujero donde no había luz. Hans encendió una linterna y nos vimos girando en remolinos y chocando contra las paredes de roca. ¡Bajábamos a 150 km por hora! Habíamos perdido nuestros aparatos y herramientas y sólo teníamos la brújula.

De repente se apagó la linterna. Nos agarramos unos a otros y sentimos que subíamos. Hans encendió una antorcha.

—Lo suponía: el agua, después de llegar al fondo del pozo, recupera su nivel y nos sube con ella —explicó mi tío.

Pasó una hora. Subíamos con rapidez y la temperatura aumentaba; quizá hubiera 40 °C. Si el tipo de roca, la electricidad y el magnetismo habían modificado las leyes de la naturaleza hasta entonces, ahora se nos mostraba la teoría del fuego central. La temperatura seguía subiendo y nos quitamos ropa; las paredes y el agua ardían, la brújula giraba sin cesar. Oíamos explosiones y pensé que habría otro terremoto, pero mi tío esperaba que fuera una erupción.

—¡Estamos dentro de un volcán activo y seremos expulsados entre rocas ardientes!

—Es la única forma de salir —dijo él.

Horas después, no nos subía el agua sino la lava ardiendo, entre vapores de azufre y llamas. Finalmente salimos despedidos por los aires.

Cuando abrí los ojos, estábamos tendidos en la ladera del volcán, bajo un sol abrasador. ¿Dónde estábamos? Abajo se veían olivos, higueras y viñas, y al fondo el mar. Como el volcán seguía expulsando rocas y lava, bajamos andando. Vimos a un niño y le preguntamos qué lugar era aquel. No nos entendía y probamos varios idiomas. Al final, en italiano, nos dijo que era la isla de Stromboli. ¡Habíamos salido por el volcán Etna! ¡Estábamos al sur de Italia!

Nos dirigimos al puerto, dijimos que éramos náufragos y los pescadores nos dieron ropa y comida. El 4 de septiembre embarcamos y el 9 llegamos a Hamburgo. Todos sabían ya de nuestro viaje y mi tío se hizo famoso. Hans regresó a Islandia. Este libro, *Viaje al centro de la Tierra*, fue impreso y traducido.

No obstante, mi tío estaba pesaroso por no saber explicar el dato de la brújula. Un día que la tenía en mis manos, me di cuenta de que marcaba el sur y no el norte. Se lo dije y el profesor dio con la explicación: la bola de fuego que había imantado el hierro enloqueció la brújula.

Mi tío se quedó feliz, y yo más aún al casarme con mi preciosa Graüben.

Julio Verne

Este autor francés (Nantes, 1828-Amiens, 1905)
sigue siendo muy leído por los amantes de la
literatura de ciencia ficción. Verne poseía una gran
cultura y una poderosa imaginación, por lo que se
adelantó a muchos inventos científicos, además de
incluir en sus novelas los avances tecnológicos de
su tiempo.
Estudió Derecho pero pronto se dedicó a escribir.
Su primera novela, *Cinco semanas en globo* (1862),
le dio tal fama que siguió escribiendo libros de
aventuras fantásticas. El siguiente fue *Viaje al centro de
la Tierra* (1864), para el que se tuvo que documentar
en geología, mineralogía y paleontología. Sus
detalladas descripciones de animales prehistóricos
maravillaron a los expertos. Otros libros célebres
son: *De la Tierra a la Luna, La vuelta al mundo en 80 días,
Veinte mil leguas de viaje submarino, Los hijos del Capitán
Grant, Miguel Strogoff* y *La isla misteriosa.*

CONTEXTO HISTÓRICO

Julio Verne siempre sitúa la acción de sus novelas en la época que le tocó vivir: la era del capitalismo, en la segunda mitad del siglo XIX. Es un período de grandes cambios socioeconómicos en Europa occidental, pues se da el paso de la primera revolución industrial (aparición de las fábricas y del ferrocarril) a la segunda (creación de un fuerte entramado financiero y de grandes empresas). Gracias a los avances técnicos y científicos, el hombre se siente dominador de la naturaleza. Contagiado de este entusiasmo por la ciencia, Julio Verne impregna de él sus novelas y, bajo la apariencia de libros de aventuras, nos hace creer que es posible viajar a la Luna o bajar a las entrañas de la Tierra, como sucede en su famoso *Viaje al centro de la Tierra*.

Para escribir sus novelas, este autor francés se documenta con rigor y profundidad en los temas científicos que va a necesitar (física, química, astronomía, mineralogía, geología…) y traslada el estado de la ciencia de su tiempo a esas obras de ficción, añadiendo otros avances que salen únicamente de su imaginación, pero que son consecuencia lógica de esos datos y hechos científicos. De ahí que, a pesar de ciertos errores, acierte con tanta exactitud en descubrimientos que tuvieron lugar mucho después: el viaje a la Luna, la navegación submarina, etc.